PETER
PAN

PETER PAN

Illustrations de
GREG HILDEBRANDT
Adapté d'un roman de
J.M. Barrie

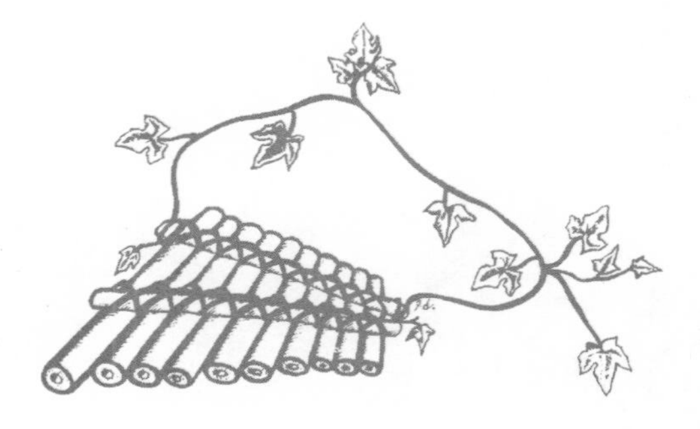

The Unicorn Publishing House
New Jersey

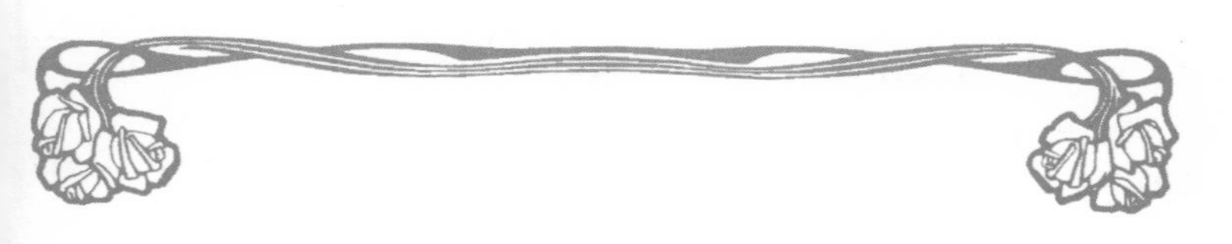

PETER PAN

La famille Darling adorait danser. Tous les Darling entraient dans la ronde. Même Nana, leur chien, jappait et bondissait de joie lorsque les enfants lui tournaient autour. En fait, les Darling dansaient presque tous les soirs dans la chambre des enfants avant l'heure du coucher. Il n'y eut jamais famille plus simple et plus heureuse dans le monde entier—jusqu'à la venue de Peter Pan.

Tous les enfants grandissent, voyez-vous, sauf un. Et cet enfant, c'est Peter Pan. Il vit dans un monde lointain, bien que très proche, appelé le pays de Jamais. Il habite l'esprit des enfants. Tous les enfants connaissent le pays de Jamais, bien qu'il soit différent pour chacun. Si vous fermez les yeux et pensez à votre endroit préféré—votre lieu secret—vous trouverez le pays de Jamais. Il est rempli d'imaginaire et de magie, juste pour vous, et quelque aventure dont vous ayez la fantaisie.

Ainsi en était-il des enfants Darling. Ils allaient souvent jouer sur les rives magiques du pays de Jamais. Et ils y jouaient souvent avec Peter Pan. Surtout l'aînée, Wendy.

Mme Darling découvrit l'existence de Peter Pan lorsqu'elle faisait le ménage dans l'esprit des enfants. Chaque soir, voyez-vous, toutes les bonnes mères font le tour de l'esprit de leurs enfants après qu'ils se soient endormis. Elles rangent tout en vue du lendemain matin. C'est pourquoi, au réveil, vous trouvez vos plus jolies pensées aérées et bien placées, prêtes à endosser.

Au cours de sa tournée, Mme Darling découvrit un nom mystérieux: Peter. Elle ne connaissait aucun Peter, et pourtant elle le trouvait ici et là dans la tête de John et du petit Michael. L'esprit de Wendy en était rempli. Mais qui était Peter?

Lorsque sa mère le lui demanda, Wendy répondit simplement, “C'est Peter Pan, maman, tu sais bien.” Mme Darling ne savait pas. Mais en fouillant bien dans ses souvenirs d'enfance, elle se rappela un certain Peter Pan dont on disait qu'il vivait avec les fées.

Le soir suivant, Mme Darling s'endormit en cousant dans la chambre des enfants. Pendant qu'elle rêvait, la fenêtre de la chambre s'ouvrit et un garçon se posa sur le parquet, accompagné d'une étrange petite lumière qui semblait animée. Ce fut sans doute cette lumière qui réveilla Mme Darling. Elle sut tout de suite que ce garçon n'était nul autre que Peter Pan.

C'était un joli garçon, habillé de feuilles brillantes et de la sève qui coule des arbres.

Lorsqu'il vit qu'elle était une grande personne, il
ui montra les dents. Mme Darling cria. La porte
'ouvrit et Nana accourut. Elle grogna et s'élança sur
e garçon, qui s'échappa lestement par la fenêtre et
lisparut comme une étoile filante.

Mais Peter ne s'en sortit pas tout à fait indemne
car Nana attrapa son ombre. Mme Darling, ne sa
chant pas trop quoi en faire sur le moment, la roul
et la rangea dans un tiroir en attendant de pouvoi
en parler à son mari.

Le lendemain soir, les Darling étaient invités chez :s voisins. Dès qu'ils furent partis, une petite étoile ans le ciel cria: "Maintenant, Peter!" Peter entra omme un éclair dans la chambre des enfants et se iit à chercher son ombre.

Mais l'ombre retrouvée refusa de le suivre. L
pauvre se mit à pleurer. Ses pleurs réveillèren
Wendy. Elle vit avec étonnement le garçon étrang
puis la petite lumière mouvante qui s'éteignit bien
tôt, révélant une fée.

"Je suis Peter Pan, et ma fée s'appelle Clochette."
Mon nom est Wendy et voici John et Michael."
Vendy cousit l'ombre de Peter après ses pieds et il
ıt si heureux qu'il souffla sur tous de la poussière
e fée et ils se mirent à voler!

"Voulez-vous venir avec moi au pays de Jamais
demanda Peter. "Bien sûr!" s'exclamèrent les enfant
"Vite, Peter!" le pressa Clochette. Les Darling rev
naient à la maison, mais trop tard. Les oiseau
s'étaient envolés.

“Deuxième à droite, puis tout droit jusqu’au ma-
n.” C’était, selon Peter, le chemin du pays de
mais. Mais en abordant les rives magiques, les
ups de canon des pirates les dispersèrent aux qua-
e vents.

Wendy, qui tenait Clochette dans le chapeau John, se retrouva seule avec la fée. Clochette était louse de Wendy. Peter l'aimait. Elle le *sava* Clochette sortit alors du chapeau et prit le pa d'embêter Wendy.

Pendant ce temps, les pirates cherchaient Peter et
garçons perdus. Les garçons perdus sont les amis
Peter et Peter est leur chef. Les pirates avaient
ssi un chef, le très vilain capitaine Crochet. Il vou-
t à tout prix attraper Peter. Mais *quelque chose*

voulait attraper Crochet. *Tic-tic-tic!* C'était le son
plus terrifiant, le son du crocodile qui lui ava
mangé la main et l'avait trouvée si délicieuse qu'il
suivait partout. Le *tic* n'était à vrai dire que le so
d'une horloge qu'il avait avalée, et qui servait

ertir Crochet de sa présence. Tandis que les pirates
ierchaient Peter, Clochette fit une chose terrible.
lle alla trouver les garçons perdus et leur dit que
'endy était un oiseau que Peter leur ordonnait
abattre. Et c'est ce qu'ils firent!

Wendy tomba, une flèche dans la poitrine Les garçons perdus surent que Clochette le avait trompés. L'un d'eux s'écria: "Ce n'est pa un oiseau! Je crois que c'est une dame." U autre ajouta: "Et nous l'avons tuée! Peter nou l'amenait pour nous servir de mère. Et mainte nant elle est morte!"

Mais elle n'était pas morte. Lorsque Pete arriva, il vit à l'instant que la flèche avai frappé le cadeau qu'il avait fait à Wendy. U gland magique. Elle le portait sur une chaîn autour de son cou. Il lui avait sauvé la vie.

Les garçons perdus racontèrent ensuite Peter le crime de Clochette.

"Clochette, cria-t-il, je ne suis plus to ami." Et il ne lui parla plus de toute une se maine. Wendy, affaiblie par sa chute, avai besoin de soins immédiats. Peter décida qu'i fallait lui construire une maison. John e Michael arrivèrent et furent aussitôt mis l'ouvrage. Ils n'aimaient pas devoir être auss bons pour leur grande soeur, mais Peter insista

Les garçons perdus sont des enfants qui pour quelque raison, ont perdu leur mère Comme personne ne s'en occupe, ils arriven au pays de Jamais où ils peuvent prendre soi les uns des autres. Mais Peter avait conçu l'idé que Wendy pourrait leur servir de mère. Ell pourrait leur raconter des histoires, leur fair prendre leur remède et les border le soir.

Lorsque Wendy s'éveilla, elle fut bien surprise d voir la petite hutte qu'ils avaient construite pou elle. Et lorsqu'ils lui demandèrent d'être leur mère

le répondit: “Devrais-je? C’est bien tentant, mais je ne
ıis qu’une petite fille.” Mais Peter dit qu’il suffisait
être du type maternel. “Dans ce cas, je ferai de mon
ieux. Rentez immédiatement, petits garnements.” Ils
ɔéirent avec joie.

Ce fut le premier de nombreux soirs heureu
Chaque soir, Wendy les bordait dans un grand
dans leur caverne *secrète*. Elle dormait dans la hut
et Peter montait la garde dehors. La nuit, il ne pa
sait que des fées qui rentraient chez elles.

Wendy s'avéra une bonne mère. Dans leur cachette souterraine, elle leur racontait des histoires, leur faisait nettoyer la caverne et leur donnait leur remède (qui n'était à vrai dire que de l'eau sucrée).

Chaque jour amenait une nouvelle aventure
Mais il en est une, entre toutes, que je dois vou
raconter. Les enfants passaient souvent la journée au
lagon des Sirènes. On voyait parfois les sirènes aprè
la pluie, jouant avec les bulles d'eau de pluie. C

our-là, il n'y en avait pas. À la tombée du jour, les nfants se reposaient sur le rocher des Boucaniers, orsque Peter se leva soudain et cria: "Pirates!" Un ateau s'approchait. Peter vit qu'ils avaient capturé uelqu'un.

La captive était Lis Tigré, fière princesse de l tribu indienne. Les enfants se glissèrent dans l'ea pour se cacher tandis que deux pirates l'amenaient terre. Peter connaissait le sort que les pirates lui ré servaient. Ils la ligoteraient avec une corde et l laisseraient sur le rocher pour que la marée l'em porte et la noie. Jamais Peter ne laisserait fair pareille chose. Imitant la voix du capitaine Crochet il cria aux pirates dans l'obscurité: "Ohé du bateau ohé matelots!"

"Le capitaine! dit un des pirates. Il doit se bai gner par ici. Ohé, capitaine! Nous metton l'Indienne sur le rocher!"

"Libérez-la! Coupez ses liens et laissez-la parti Tout de suite, vous entendez? cria Peter, ou vou tâterez de mon crochet!"

"Aye, aye!" dirent les pirates perplexes. Mais il firent comme on leur disait, croyant entendre u ordre de leur capitaine. Aussitôt détachée, Lis Tigr se laissa glisser du rocher et s'éloigna rapidement la nage. Dès qu'elle fut hors de portée, une voix re tentit dans une autre direction: "Ohé du bateau!" C'était cette fois le *véritable* capitaine Crochet qu nageait vers le rocher.

"Où est l'Indienne?" demanda Crochet.

"Nous l'avons libérée, comme vous l'avez or donné," répondirent-ils.

"Je n'ai rien ordonné de tel!" s'écria Crochet "Quel sombre esprit rôde ici ce soir?"

Peter cria: "C'est moi, Peter Pan!" Un comba s'engagea aussitôt entre les garçons perdus et les pi rates. Les pirates furent bientôt mis en déroute e les garçons revinrent à terre avec Wendy. Croyan

ue Peter était parti, ils rentrèrent à la caverne. Mais Peter cherchait encore Crochet et Crochet herchait Peter. Ils se trouvèrent dans l'obscurité sur e rocher des Boucaniers. Crochet blessa le pauvre Peter tant et si bien qu'il ne pouvait plus voler. Au

moment où il allait l'achever, Crochet entendit l
tic-tic-tic du crocodile et s'enfuit à la nage. Pete
aurait sûrement été noyé si le bon oiseau de Jamai
ne l'avait secouru en nageant jusqu'à lui avec so
nid.

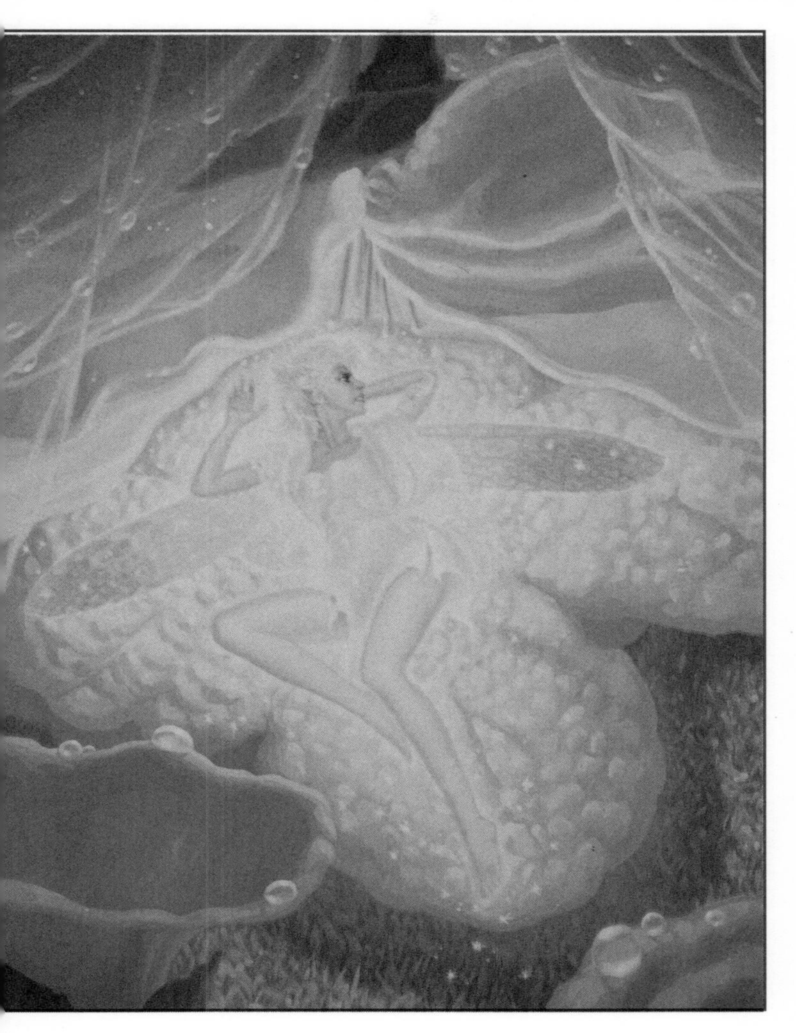

Peter se remit rapidement de sa blessure. Mais un
ɩus grand danger encore le guettait. Ainsi survint ce
ui devait être appelé *la Nuit des Nuits.* Clochette
ıt tirée de son sommeil de fée par le bruit d'un
ɔmbat féroce.

Les pirates avaient attaqué les Indiens qui prot
geaient la caverne pendant que Peter se remettai
Mais les Indiens perdirent la bataille et furent cha
sés. Le vilain Crochet trompa ensuite les enfants q
se cachaient sous terre en battant du tam-tam,

ue faisaient toujours les Indiens après une victoire.
es enfants furent faits prisonniers à mesure qu'ils
ɔrtaient de la caverne. Wendy sortit la dernière et
rochet, avec un politesse feinte, souleva son cha-
eau et lui fit une révérence. Elle fut tellement

fascinée per ce geste qu'elle ne pensa même pas crier. Elle n'était encore, après tout, qu'une petit fille.

Crochet ordonna qu'on mette les enfants sur so bateau.

Pendant ce temps, Peter dormait à poings fe més, croyant que les Indiens avaient chassé le pirates. Crochet se glissa sans bruit dans la cavern et regarda avec convoitise le lit où Peter dormai serein. Voyant la bouteille de remède à son cheve il la déboucha et y versa un poison *mortel.* Puis il s faufila hors de la caverne.

Peter continuait de dormir, ignorant du dange Quelque temps plus tard, Clochette le réveilla et lu raconta ce qui était arrivé.

"Les Indiens battus! Wendy et les garçons fai prisonniers! Je la sauverai! Je les sauverai tous!" Pu il pensa à ce qu'il pouvait faire pour plaire à Wend Il prendrait son remède.

Il prit la bouteille contenant la boisson fatale.

"Non!" s'écria Clochette. Elle avait entend Crochet rire et parler avec ses hommes de son mau vais coup. Pas le temps d'expliquer. Action! Rapid comme l'éclair, Clochette se plaça entre ses lèvres e le poison. Elle le but d'un trait.

"Qu'est-ce qui te prend?" s'écria Peter.

"C'était du poison, Peter. Et maintenant je va mourir." Elle pouvait à peine battre des ailes.

Peter s'adressa à tous les enfants qui rêvaient ce moment-là du pays de Jamais. "Croyez-vous a pays de Jamais? Croyez-vous aux fées? cria-t-il. S vous y croyez, battez des mains; ne laissez pas mou rir Clochette!"

De nombreux enfants battirent des mains.
'autres pas. Et quelques garnements sifflèrent.
eux qui battirent des mains sauvèrent Clochette.
es fées, voyez-vous, ne peuvent exister que si *quel-*
u'un croit en elles.

"Et maintenant, à la rescousse de Wendy!" d
Peter. Son couteau à la ceinture, il s'envola parmi l
arbres au clair de lune. Il trouva bientôt le bateau c
Crochet, le *Jolly Roger*. C'était un navire effrayan
sale et sombre jusqu'à la coque.

Crochet avait attaché Wendy au grand mât et se
réparait à passer les enfants à la planche. Il leur
ouriait les dents serrées. Il s'avança vers Wendy.
Iais il ne l'atteignit pas, car il entendit le son du
c-tic-tic!

C'était le *terrible* son du crocodile.

Le son se faisait de plus en plus proche, comm si le crocodile se préparait à monter à bord du na vire! "Cachez-moi! Cachez-moi!" supplia Croche Son équipage se rassembla autuor de lui, tandis qu les garçons couraient vers l'arrière pour voir le cro codile. Mais ce n'était pas un crocodile qui venait leur secours. C'était Peter. C'est lui qui faisait *tic-t* dans l'espoir de monter à bord. Il y réussit et s glissa dans la cabine où il trouva des armes pour le garçons.

Tirant une épée, il interpela Crochet. "À nou deux, sombre vilain!"

"Garçon fier et hardi, dit Crochet, prépare-toi mourir!"

Sans autre préambule, ils engagèrent le comba

Ce fut une rude bataille. Crochet échappa so épée, mais Peter s'inclina et l'invita à la ramasse Crochet s'exécuta, tout en s'attristant des bonn manières de Peter. "Quel démon dois-je affronte s'écria Crochet. Pan, qui êtes-vous donc?"

"Je suis la jeunesse! Je suis la joie! chanta Pete Je suis un petit oiseau sorti de son oeuf!"

Bien sûr, cela ne tenait pas debout; mais le tris Crochet y voyait la preuve que Peter n'avait aucu idée de qui il était. Et c'était pour lui le comble d bonnes manières. Crochet continua à se battre, ma il avait perdu espoir. Il ne demandait plus la vi mais désirait seulement voir Peter manquer de s voir-vivre avant que son coeur se refroidisse jamais.

Voyant Peter s'élancer vers lui, Crochet fit u pas de côté pour se jeter à l'eau. Peu lui importa

ue le crocodile l'y attendît. Faisant signe à Peter, il
nvita à se servir de son pied. Peter lui donna donc
n coup de pied plutôt qu'un noble coup d'épée.
rochet l'emportait enfin sur Peter là où ça comptait
raiement.

"Mal élevé!" railla-t-il, et il tomba content dan
la gueule du crocodile. Ainsi mourut le capitain
Crochet. Peter Pan avait finalement battu les pirate
et ramené la paix au pays de Jamais. Pour ce jour-l
du moins.

D'autres aventures les attendaient *certainement*. Iais pour Wendy, John et le petit Michael, il était emps de rentrer à la maison. Ils s'envolèrent donc u pays de Jamais vers la chambre où leur mère les tendait.

"George! Nana!" s'écria Mme Darling e voyant arriver les enfants. M. Darling et Nan accoururent dans la chambre pour partager s joie. C'était un spectacle ravissant, mais pe sonne d'autre n'y assista qu'un petit garçon e une minuscule fée. Peter Pan connaissait de joies qu'aucun enfant ne connaîtrait jamais, ma il voyait là la seule joie qui lui échapperait tou jours—l'amour d'une famille.

Les Darling adoptèrent les garçons perdus e les aimèrent comme leurs enfants. Et Mm Darling promit à Peter que Wendy pourrait lu rendre visite chaque année.

Wendy attendit le retour de Peter. Il ne re vint qu'au bout de deux ans. Ils euren beaucoup de plaisir au pays de Jamais, mai curieusement, Peter ne se rendit jamais compt qu'il avait manqué une année.

La fillette Wendy ne revit jamais Peter. Le années passèrent et, lorsque Wendy le revit en fin, elle était déjà mariée et mère d'une petit fille appelée Jane.

Un soir, Wendy cousait dans la chambre d Jane qui dormait. La fenêtre s'ouvrit soudain e Peter entra. Il n'avait pas changé d'un poi "Bonjour, Wendy", dit-il, sans rien remarquer.

"Oh, Peter!" dit-elle au bord des larmes, "j ne peux plus voler avec toi. Il y a longtemp que j'ai grandi." Peter sembla horrifié. Il s'ass sur le parquet et pleura. Wendy quitta la pièc pour réfléchir à ce qu'elle devait faire. Le pleurs de Peter réveillèrent la petite Jane, qu s'assit dans son lit.

"Garçon, demanda Jane, pourquoi pleures-tu?"
Lorsque Wendy revint dans la chambre de Jane, le trouva Peter assis au pied du lit. Il croassait ruyamment tandis que Jane volait autour de la ièce. À la fin, bien sûr, Wendy les laissa s'envoler

ensemble au pays de Jamais. Ainsi en sera-t-il de l
fille de Jane et de la fille de celle-ci, et ainsi de suit
jusqu'à la fin des temps. Cela durera aussi longtemp
que les enfants seront heureux, innocents et san
coeur.